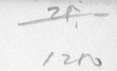

zuidafrikaanse fotografie aan de censuur ontkomen

CAMERA

outh african photography escaped from censorship

& Stichting CASA Amsterdam

De toeschouwer als getuige

Inleiding door John Berger

Gebruik deze foto's als vervoer. Ga ermee op weg. Een paspoort is niet nodig. Bekijk ze maar goed. Heel goed. Ze vertrekken elke minuut. Hun chauffeurs waren erbij – vaak liepen ze aanzienlijke risico's voor hun camera's en voor zichzelf. Maar wij die meereizen riskeren niets – behalve dat we eraan herinnerd worden dat rechtvaardigheid bevochten moet worden, dat rechtvaardigheid een doel is, nooit een gegeven, dat er vaak generatie op generatie voor gevochten moet worden tegen de tot de tanden gewapende mannen en deze keer, waar de foto's ons naar toe voeren, tegen mannen die zelfs een atoombom hebben gemaakt om hun verderfelijke blanke macht te verdedigen. Kijk maar goed.

Moeten de statistieken noodzakelijkerwijs van veraf worden geijkt? Dat zit in de aard van cijfers. Viervijfde van de bevolking hier – dat wil zeggen 25 miljoen zielen – heeft geen stem. Zij worden van hot naar her gedeporteerd en hebben niet het recht te kiezen waar ze willen leven en werken. Onder de apartheidswetten zijn zij beperkt tot dertien procent van het armste land, de zogenaamde 'bantoestans', waar economisch overleven onmogelijk is. De mensen die vertrekken om voor hun gezinnen elders geld te verdienen worden vreemdelingen in eigen land, tenzij zij over een tijdelijk arbeids-contract beschikken. Velen in de krottenwijken aan de randen van de steden blijven werkloos. Zij die werk vinden behoren tot de meest uitgebuite industriële arbeids-krachten in de wereld.

De blanke minderheid daar heeft een gemiddelde levensverwachting van 73,9 jaar, het viervijfde deel van de minderheid een levensverwachting van 59,8 jaar. In het land van de eerste harttransplantatie sterven jaarlijks vijftigduizend kinderen aan ondervoeding. Maar honger, is het boze antwoord, is endemisch in Afrika! Vorig jaar werden er tweeduizend kinderen met hun moeders gevangen gezet. Is gevangenschap endemisch in Afrika? Bekijk de foto's goed. Heel goed.

'To learn how to speak
With the voices of this land'

Jeremy Cronin

Vorig jaar zei aartsbisschop Tutu, die in 1984 de Nobelprijs voor de vrede kreeg: 'Wij zijn begonnen aan de donkere tijden in de geschiedenis van ons land.'

Vrouwen en mannen komen naar de deuren van de bouwvallen waarin ze leven. Ze kijken naar de camera. Ze kijken naar ons, bezoekers. Ze kijken somber. Op de ene schouder draagt een man de last van het verleden, op de andere zijn kind. Deze vrouwen en hun kinderen en mannen belichamen de geschiedenis, die alle universiteiten in de wereld te boven gaat. En ze weten het. Het vest en de hoed en de polshorloges zijn allemaal grappen over de geschiedenis die geen grap is en nooit verhuld kan worden.

Houd van het leven. Wees als het zonlicht dat deze aarde gegeven is en houd van het leven. Niet omdat het leven in deze gevangenisstaat van apartheid zo om van te houden is, maar gewoon omdat alles waar van te houden is voortkomt uit het leven.

Ga naar Crossroads, het illegale kamp bij Kaapstad. Iedereen woont er illegaal. De huizen zullen platgebrand worden. De grond zal ontruimd worden. Ze zullen van het land gezet worden, weggedreven worden, geslagen. Ze kunnen nergens heen. Hun huizen zijn op niks gebouwd. Kijk eens naar hun kinderen. Net als kinderen overal hebben ze een naam gekregen. In tegenstelling met andere kinderen op andere plaatsen zullen ze spoedig een nummer krijgen in de politiecomputers. Kijk. Hun ouders hebben aan hen ruimte gegeven, de ruimte om zichzelf te zijn binnen hun naam; er wordt van hen gehouden. Ouders die geen enkele vierkante meter hebben om op te zitten of om te bezitten hebben hun kinderen ruimte gegeven. De Casspirs* kunnen je hart niet uitzetten. Hier staan de Casspirs machteloos.

Marx' denkbeeld dat het proletariaat steeds armer zou worden en uitgebuit totdat het niets meer te verliezen had dan zijn ketenen en zijn denkbeeld dat de kapitalisten steeds rijker zouden worden, buiten proportie, is in de meeste geïndustrialiseerde landen van de wereld onjuist gebleken, behalve in Zuid-Afrika. Hier is zijn voorspelling uitgekomen. Wat Marx niet kon voorzien – want hij dacht niet aan Afrika – was dat het proletariaat zwart zou zijn en de kapitalisten blank. Onherroepelijk waar.

In een huis gebouwd van jute, golfplaten en pakpapier, staat een bezem tegen de muur en de vrouw in het huis dat op niets gebouwd is, zal ermee gaan bezemen.
In een officiële barak voor trekarbeiders, honderdduizenden kilometers ver van huis, wordt alleen over vrouwen gepraat. Tussen de enkele stapelbedden is de belofte van een normaal gezinsleven als kokosmelk in een handgranaat.

*gepantserde oproerwagen van de politie.

Ja, er is verzet. En ook angst. Hoe zou er geen angst kunnen zijn? Een betere vraag voor als je in de barakken bent is: hoe kun je leven met angst en de angst soms te boven komen?

Door aan de slachtoffers te denken. De nieuwe grafkisten bevatten jonge lichamen, maar ook de hele geschiedenis waarvan de last op elke schouder drukt. Op de begrafenissen de woorden: KOGELS KUNNEN ONS NIET TEGENHOUDEN. Wanneer de jongeren geloven in wat ze gezien hebben en wanneer ze in dit geloof leven, is het hun schoonheid die maakt dat ze niet te stuiten zijn.

Er kunnen er natuurlijk nog meer worden doodgeschoten. Maar als martelaars wordt hun schoonheid onsterfelijk.

'The stormtroopers are in the streets
the women wash dishes with their tears.'

Hein Willemse

Kom eens dichterbij. De schatting van de consequenties en de wetten van oorzaak en gevolg horen tot een rekensysteem dat een veel gunstiger basis heeft dan hier ook maar gevonden wordt. Hier kent de toekomst niets, behalve hoop. Die hoop is prachtig. Daarnaast is de toekomst al de bodem in geslagen, een voortzetting van de katastrofe van het verleden die op ieders schouder rust. Hier zijn geen consequenties die elders berekend kunnen worden. Alleen hoop en haar broeder angst. En hierom – en dit is voor bezoekers moeilijk te begrijpen – zullen de kinderen steeds blijven schrijven: KOGELS KUNNEN ONS NIET TEGENHOUDEN.

Kijk nu eens naar de foto's van de mannen in de uniformen. Zij zijn verdoemd. Dat zie je aan hun gezichten. Hun gezichten lijken op varkenshammen, omdat ze geen hoop hebben, met niets anders dan hun wapens en moorddadige bevelen. Kijk maar. Ze hebben alles. De rijkdom van het land, kogelvrije pakken, bezittingen, een huis, gezinnen die nog bij elkaar zijn, personeel, bankrekeningen, stranden, jachten, een levensverwachting van 74 – en ze hebben geen hoop. Als ze toevallig iemand hebben om van te houden kunnen ze hun geliefde alleen maar een geladen wapen aanbieden en wachten. Ze hebben alles, maar de hoop heeft hen verlaten. Ze zijn hun eigen schildknapen geworden, maar tegenwoordig is er niemand over om te beschermen. De heersende klasse is de moordende klasse geworden.

De moordende klasse kan niet zingen. De daklozen wel.

Lady Day, Lady Day,
Lady Day of no happy days,
Who live in a voice
Sagging with the pain
Where the monster's teeth
Are deep to our marrow.

Keorapetse Kgositsile

De moordende klasse gebruikt gedrukte leugens en kant-en-klare wetsbepalingen. Ze praten elkaar na. Ze vaardigen bevelen uit. Toch kunnen ze zich de gave van het woord niet meer verwerven. En daarom zijn ze bang, niet voor leeuwen of luipaarden of iets waarop kan worden geschoten, maar voor woorden.
Hier is nog een illegaal kamp buiten Kaapstad, met de haven die door de kolonisten De Kaap de Goede Hoop werd genoemd. Het KTC-kamp. In een bouwvallig onderkomen zit een familie op een bed. Ze hebben geen werk en geen pas, hetgeen betekent dat ze illegaal op het bed zitten. Ze zijn al dertig of veertig keer uit andere 'schuilplaatsen' verwijderd. De moeder heeft een Schotse deken om zich heen en herinnerd zich andere uitzettingen in een ander land. Een nieuwe krant ligt op tafel. Kleren netjes opgevouwen. Eén stel is bedrukt met bloemen. In dit bouwval, vervaardigd van weggegooid verpakkingsmateriaal, heeft men een huis geïmproviseerd. Ze kijken hun bezoek niet aan. Van het bezoek verwachten ze niets. Ze denken terug. Aan iets anders.

The ancestors invite us to the vision of the river.
Knowing we have suffered enough;
Through them we float aimlessly on a dream.
And yet our names must remain hidden from our total joy.
Lest through weakness we may succumb.
Falling slowly into the depths of mindlessness,
Our love must survive through the ancient flames.
We must congregate here around the sitting mat,
To narrate endlessly the stories of distant worlds.
It is enough to do so,
To give our tale the grandeur of an ancient heritage.
And then to clap our hands for those who are younger than us.

Mazisi Kunene

De doden vechten ook. Hun onschuld vecht tegen de schuld van de moordenaars. Die schuld is van dien aard, dat de moordende klasse de kleuren van de vlag die hen beschuldigt niet kan verdragen. Kijk eens naar het gezicht van de officier van de oproerpolitie op de foto van Ashrey Kriels begrafenis. De vlag die de officier van de kist probeert te trekken, is de vlag van het African National Congress. Hij denkt dat mensen verscheurd kunnen worden, net als papier. Op een dag zal hij in zijn eigen huis dingen verscheuren. In tegenstelling tot de familie in het KTC-kamp heeft hij niets meer om te koesteren. Hij heeft het vermogen ertoe verloren. Zijn handen kunnen alleen nog maar grijpen of folteren.

Nog een begrafenis. Dit keer in Lesotho, van ANC-leden die tijdens een politie-actie werden vermoord. De eerste rouwdraagster achter de kist is een blanke vrouw. Ze houdt haar gebalde vuist omhoog. Haar gebaar is zo kwetsbaar en toch zegt het: verzet en victorie. Eén van de dragers is eveneens een blanke vrouw. Kijk er maar goed naar. Voor hen beiden is er geen reden om het hoofd af te wenden of zich te verbergen. De geheime politie heeft al een compleet dossier over hen aangelegd. In die dossiers staat dat zij verraders zijn van hun ras en hun land, ze verlenen steun aan terroristen, ze heulen met communisten. Zelfs de kleren van de dragers bevestigen dat zij erom vragen veroordeeld te worden.

Kijk eens naar haar gezicht. Ze kijkt ernstig. Ze weet zich nu erg dicht bij haar geweten. Ze lopen wang aan wang. Ze heeft gekozen voor een ander soort ontheemd-zijn. En op haar linkerschouder wenst ze nu de last van de geschiedenis te dragen. Ik hoop dat ik deze foto nooit zal vergeten. Hij werd in de toekomst genomen, aan de extreme kant van de barbaarsheid.

Dit is station Mayfair in Johannesburg. Een groep mijnwerkers wacht op de trein die hen naar huis zal brengen. Hun twaalfmaandelijkse arbeidscontract met de goudmijn zit erop. Ze zijn weer illegalen. Ze zien er moe uit, koud, gedesoriënteerd. Dit zijn de mannen die het absolute symbool van rijkdom, het magische middel van de alchemisten, uit de grond halen. Hun broeders doen hetzelfde met diamanten. Tegenover hen zien we wat **hiërarchie** betekent. Onder de aarde zitten ze helemaal onderaan, vlak bij het onheil: wat zij produceren gaat alleen naar boven. De foto werd meer dan dertig jaar geleden genomen.

In 1985 werd het Congress of South African Trade Unions opgericht. Het is de grootste vakbond van Afrika. In 1987 aanvaardde de bond het Handvest van de Vrijheid als democratisch beginsel.

Ga vandaag eens mee naar een staking. De arbeiders luisteren zittend naar een toespraak. Ze zijn het publiek dat de ogen naar het podium richt waar vandaan ze worden toegesproken. Bestudeer hun gelaatsuitdrukking eens van nabij. Elk van hen weet dat hij een acteur is en dat een onzichtbaar publiek naar **hen** kijkt. Onder dit tweede onzichtbare publiek bevinden zich huurmoordenaars, spionnen, politiechefs, verklikkers. Maar in dit tweede publiek bevinden zich ook alle gevangenen van de geschiedenis, wachtend op hun uitbraak. Niemand weet die dag. Die dag zal komen.

De betekenis van het woord KETEN zal gewijzigd worden in dat wat verenigt en verbindt. Niet op bevel, maar door vrijwillige actie. 'Een kunstenaar,' zei John Muafangejo, de graveur uit Namibië, 'vecht met ketenen om ze los te breken.' Verbreek ze.

Sta eens stil bij een concert in het zwarte woonoord Alexandra. De dichter 'Jingles' treedt op op de maat van de trommels. Hij kijkt over een onzichtbare muur die overal aanwezig is. Hij herinnert mensen er aan dat het land aan de andere kant van de muur zich uitstrekt naar de horizon. Hij laat zien dat men over de muur heen kan schreeuwen en gehoord kan worden. Spoedig na het concert werd 'Jingles' vermoord door onbekende gangsters. Hier biedt kunst geen bescherming.

Een dochter raakt de hand van haar gearresteerde vader aan terwijl hij in de auto wordt geduwd die hem zal wegvoeren. Herinner je het gebaar van haar hand. Het is er een die altijd zal blijven, want het gaat mee, stilzwijgend gaat het mee met de verdwijnende auto, mee de cel, de rechtszaal in. Op dit moment van wrede scheiding wordt men door de hoop verbonden.

Of course we never get to speak,
As such, to each other.
We're still fifty yards, one corridor,
Many locked locks apart.

Jeremy Cronin

Twee jongens met Freedom Fighter t-shirts aan, werpen als laatste groet wat aarde in het graf van een vermoorde kameraad. Hun hoofden zijn gebogen, want de kameraad komt nooit meer terug en zijn gelijkenis zal nooit meer bestaan. Hij is voor eeuwig verloren. Een verschrikkelijk woord wanneer het met liefde wordt uitgesproken. Toch zijn de bewegingen van hun handen die de aarde werpen weloverwogen. Eén houdt de aarde voor de laatste keer vast voor hij gooit. De tweede hand is uitgestrekt en heeft al gegooid. Beide gebaren zijn weloverwogen. Ze weten precies wat ze doen. Ze verbinden de levenden met de doden zodat hun hoop, die één wordt, niet onderdrukt kan worden.

Voor vervoer terug naar waar wij leven is een foto uit een geïllustreerd blad genomen. Per sneldienst. Geen eerste of tweede klasse. Honden toegestaan. Maar geschiedenis niet.

The Spectator as a Witness

Introduction by John Berger

'To learn how to speak
With the voices of this land'

Jeremy Cronin

Use these photos as means of transport. Ride on them. No passes needed. Go close. Imprudently close. They leave every minute. Their drivers were there on the spot – often at considerable risk to their cameras and themselves. But we who are travelling risk nothing – except a reminder that justice has to be fought for, that justice is an aim never a given, that often it has to be fought for by generation after generation against men armed to the teeth, and this time, there where the photos take us, against men who have even manufactured a nuclear bomb to defend their wicked white power. Go close.

The statistics have inevitably to be calibrated from afar? This is in the nature of numbers. Four-fifths of the population there – that is to say over 25 million souls – have no vote. Continually displaced, they do not have the right to live or work where they choose. Under the apartheid laws they are restricted to thirteen percent of the poorest land, the so-called 'bantustans', where economic survival is impossible. Those who leave to try to earn a living for their families become – unless they have a temporary contract – illegal immigrants in their own country. Many in the shanty towns on the edges of the cities remain unemployed. Those who do get work constitute one of the most exploited industrial labour forces in the world.

The white minority there have an average life expectancy of 73,9 years, the four fifths majority a life expectancy of 59,8 years. In the country of the first heart transplant, 50,000 black children die every year as a result of malnutrition. But hunger, comes the evil reply, is endemic to Africa! Last year more than 2000 children with their mothers were imprisoned in South Africa. Is imprisonment too endemic to Africa? Take the photos and go close. Imprudently close.

Last year the Archbishop Tutu, who won the Nobel Prize for peace in 1984, said: 'We have entered the dark ages in the history of our country.'

Women and men come to the doors of the shacks where they live. They look at the camera. They look at us visiting. They are sombre. On one shoulder a man carries the weight of the past, on the other his child. Beyond all the universities in the world these women and their children and men embody history. And they know it. The waistcoat and the hat and the wristwatches are all jokes about this history which is no joke and can never be disguised.

Love life. Be like the sunlight afforded this earth and love life. Not because life in this prison state of apartheid is loveable, but simply because all that is loveable comes form life. Get down at Crossroads, the squatter-camp near Cape Town. Everyone is there illegally. Their homes will be burnt down. The land will be cleared. They will be evicted, driven out, beaten up. They have nowhere to go. On nowhere they built homes. Look at their children. Like children everywhere they have been given a name. Unlike children in most places, many will also be given a number soon, a number on the police computers. See. Their parents have given them space, the space to be themselves within their name; they are loved. Parents who don't have a single square metre to sit down upon or to call their own, have given their children space. The Casspirs* can't evict from the heart. Here the Casspirs are powerless.

Marx's vision that the proletariat would become increasingly impoverished and exploited till they had nothing to lose but their chains and that the capitalists would become increasingly and disproportionately wealthy has been proved false in all the industrialised countries of the world, except South Africa. Here his prophecy is being realised. What Marx couldn't foresee – for he was not thinking of Africa – was that the proletariat would be black and the capitalists white. Ineradicably true.

In a home, made of tarpaulin and corrugated iron and wrapping paper, a broom leans against a wall, and the woman of the house, built on nowhere, will take it to sweep.

In an official barrack built for migrant workers, hundreds or thousands of miles away from home, of women there is only talk. Between the single bunks the promise of normal family life is like coconut milk in a handgrenade.

* Casspirs = armoured riot police vehicles.

Yes, there is resistance. And fear too. How could there not be fear? Better to ask when getting down at the barracks: how to live with fear and sometimes overcome it?

By remembering the victims. The new coffins of the newly assassinated contain young bodies but also the entire history whose weight is on every black shoulder. At the funerals the words: BULLETS WON'T STOP US are written. When the young believe in what they have seen for themselves and when they live in this belief, it is their beauty which makes them unstoppable.

More can be shot dead of course. But then, as martyrs, their beauty becomes immortal.

None of this for one instant diminishes the pain of the whip or the grief of the mother or the despair of the mutilated. Not for a single instant.

'The stormtroopers are in the streets
the women wash dishes with their tears.'

Hein Willemse

Come closer. Reckoning consequences and rules of cause and effect belongs to a system of calculation which has a far more prosperous basis than any that can be found here. Here there is nothing to the future except hope. That hope is beautiful. Apart from this, the future is already devastated, a continuation of the catastrophe of the past whose weight is on every shoulder. Here there can be no consequences as calculated elsewhere. Only hope and her brother fear. And this – which is hard for visitors to understand – is why the kids write and will go on writing: BULLETS WON'T STOP US.

Look at the photos of the men in uniforms. They are damned. This is visible in their faces. Without hope, with nothing but their weapons and murderous orders, their faces have shrunk to resemble the hams of pigs. Watch. They have everything. The wealth of the country, bullet-proof protection, property, homes, united families, servants, bank accounts, beaches, yachts, a life expectancy of 74 – and they have no hope. If it happens that they love somebody, all they can offer their loved one is to take their weapon, load it and wait. They own everything and hope has abandoned them. They have all become their own henchmen, yet today there is no-one left for the henchmen to protect. The ruling class has become the killing class.

The killing class can't sing. The homeless do.

Lady Day, Lady Day,
Lady Day of no happy days,
Who live in a voice
Sagging with the pain
Where the monster's teeth
Are deep to our marrow.

Keorapetse Kgositsile

The killing class use printed-out lies and ready-made legal terms. They parrot. They curse. They issue orders. Yet the gift of words is a thing they can no longer acquire. And this is why they are frightened, not of lions or leopards or anything that can be shot, but of words.

Here is another squatter's camp outside Cape Town, which is the port of what the colonisers once called The Cape of Good Hope. The KTC camp. In a make-shift shelter a family on a bed. They have no work and no pass which means that on this bed they are illegal. They have already been evicted from other 'shelters' thirty or forty times. The mother is wearing a Scottish plaid recalling other evictions in another country. Their shoes are arranged under the bed. A clean newspaper on the table. Cloths neatly folded. One has flowers printed on it. In this shelter, constructed from discarded packaging, a home has been improvised. They are not looking at their visitors. From them they expect nothing. They are remembering. Something else.

The Ancestors invite us to the vision of the river.
Knowing we have suffered enough;
Through them we float aimlessly on a dream.
And yet our names must remain hidden from our total joy.
Lest through weakness we may succumb.
Falling slowly into the depths of mindlessness,
Our love must survive through the ancient flames.
We must congregate here around the sitting mat,
To narrate endlessly the stories of distant worlds.
It is enough to do so,
To give our tale the grandeur of an ancient heritage.
And then to clap our hands for those who are younger than us.

Mazisi Kunene

The dead fight too. Their innocence is fighting the guilt of the killers. This guilt is such that the killing class cannot tolerate the colours of a flag which accuses them. Study the face of the officer of the Riot Police at Ashrey Kriel's funeral. The flag he is trying to tear off the coffin is that of the African National Congress. He believes that people can be torn up like paper. One day he will tear things up in his own home. Unlike the family in the KTC camp he can cherish nothing any more. He has lost the faculty. His hands can only grasp or wring.

Another funeral. This time in Lesotho of ANC members killed during a police raid. The first mourner following the coffin is a white woman. She holds up her clenched fist. Her gesture is so vulnerable and yet it declares: resistance and victory. One of the pall-bearers is also a white woman. Go close. There is no reason for either of them to turn or hide. The secret police already have a complete dossier concerning them. According to these dossiers they are traitors to their race and country, they support terrorists, they consort with communists. Even the clothes of the pall-bearers confirm that she deserves to be a convict.

Please look at her face. She is grave. She is very close at this moment to her conscience. They are walking cheek to cheek. She has chosen another kind of homelessness. And on her left shoulder she has chosen to carry the weight of history. I hope I will never forget this photograph. It was taken in the future, on the far side of barbarism.

This is Mayfair railway station in Johannesburg. A group of miners are waiting for a train to take them home. Their twelve month contract working for the gold companies is over. They have become illegal again. They look tired, cold, disorientated. These are the men who extract from the earth the very symbol of wealth, the magic substance of the alchemists. Their brothers do the same for diamonds. Facing them, we stare at what **hierarchy** means. Under the earth they are at the bottom, near disaster: what they produce goes exclusively to the top. The photo was taken more than thirty years ago.

In 1985 the Congress of South African Trade Unions was launched. It is the largest trade union body in Africa. In 1987 it adopted the Freedom Charter for democracy.

Visit a strike today. The workers are listening to a speech. They are an audience, seated, their eyes on a stage from which they are being addressed. Study their expressions more closely. Each one knows that they are the actors too and that an invisible audience is watching **them.** Among this second invisible audience are hired killers, spies, police-chiefs, informers. But also in this second audience are all the prisoners of history, waiting to break out. No single person can decide the day. The day will come.

The meaning of the word CHAIN will be changed into that which links and joins. Not by decree but by freely chosen actions. 'An artist,' said John Muafangejo, the engraver from Namibia, 'is struggling with chains in order to tear it from the stem.' Tear it from the stem.

Stop at the concert in Alexandra township. The poet 'Jingles' is performing to drums. He is looking over an invisible wall which is everywhere. He's reminding people that on the other side of the wall the land stretches to the horizon. He's showing that one can speak over the wall and be heard. Soon after the concert 'Jingles' was assassinated by unknown gunmen. Here art is not a protection.

A daughter touches the hand of her arrested father as he is shoved into a car to be carried off. Remember the gesture of her hand. It is one from which nothing can ever be torn away, for it accompanies, accompanies wordlessly in the disappearing car, in the cell, in the courtroom. At this instant of brutal separation, there is a joining by faith.

Of course we never get to speak,
As such, to each other.
We're still fifty yards, one corridor,
Many locked locks apart.

Jeremy Cronin

Two young men, wearing Freedom Fighter tee-shirts, cast their farewell earth on the grave of a killed comrade. Their heads are bowed, for the comrade had gone for ever and his likeness will never occur again. He is irretrievable. A terrible word when spoken with love. Yet the gestures of their hands throwing the dust are deliberate. One is holding the earth for the last time before casting. The second hand is straight and has cast. Both of them very deliberate. They know exactly what they are doing. They are joining the living and the dead so that their hopes, becoming the same, will be irrepressible.

For the transport back to where we live any publicity photo in any colour magazine will do. Express non-stop service. All classes. Dogs allowed. But no History.

Foto vorige bladzijde / *Previous page:*
Forenzentrein / *Commuter train.*
Santu Mofekenq

Militaire patrouille, Bushman nederzetting,
Namibië / *Military Patrol, Bushman
settlement, Namibia.*
Paul Weinberg

'Illegale' woonwijk Crossroads, inmiddels
ontruimd / *The illegal squatter camp of
Crossroads near Cape Town, now evicted.*
Martin Stevens

Krottenwijk New Brighton / *New Brighton squatter camp.*
George Lucy

Crossroads.
Jimmy Matthews

Crossroads.
Fanie Jayson

Northern Karoo.
Rashid Lombard

Rivonia.

Lesley Lawson

Kroeg in een township / *Shebeen in a township.*
Roger Meintjes

Township.
Roger Meintjes

Voor de kroeg in een township / *In front of*
a township shebeen.
Roger Meintjes

Winkelier en zoon, Johannesburg /
Shopkeeper and son, Johannesburg.
Jenny Gordon

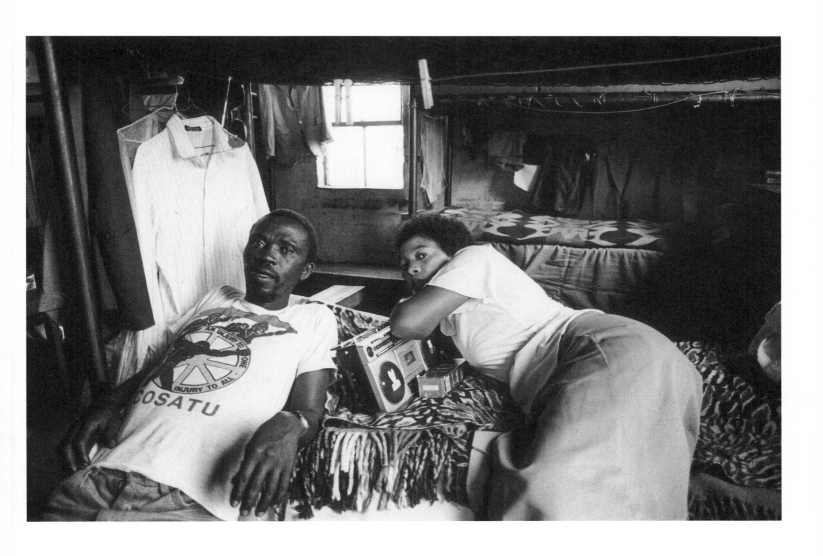

Woonomstandigheden van trekarbeiders /
Living conditions of migrant workers.
David Goldblatt

Woonomstandigheden van trekarbeiders /
Living conditions of migrant workers.
Jeeva Rajgopaul

Inwoner van clandestiene KTC township
bij de restanten van zijn woning, nadat zijn
familie is vermoord door 'vigilantes'
(knokploegen), daarbij geholpen door de
politie / *Illegal* KTC *township dweller at*
remains of his home, after his family was killed
by 'vigilantes', assisted by the police.
Roger Meintjes

Ontruiming in de wijk Chickenfarm,
Johannesburg / *Eviction in the Chickenfarm
area in Johannesburg.*
Herbert Mabuza

Ontruiming in de wijk Chickenfarm,
Johannesburg / *Eviction in the Chickenfarm*
area in Johannesburg.
Herbert Mabuza

40.000 inwoners van Pondo verloren hun
huizen bij botsingen tussen Pondo- en
Zulugemeenschappen in het gebied van
Umbogintwini, buiten Durban. Januari
1986 / *40.000 Pondo residents lost their
homes in clashes between Pondo and Zulu
communities in the Umbogintwini area, outside
of Durban. January 1986.*
Billy Paddock

Na een aanval van Inkatha-aanhangers /
After an assault by Inkatha followers.
Cedric Nunn

Familie Dambuza, Rockville / *The Dambuza family, Rockville.*
Ingrid Hudson

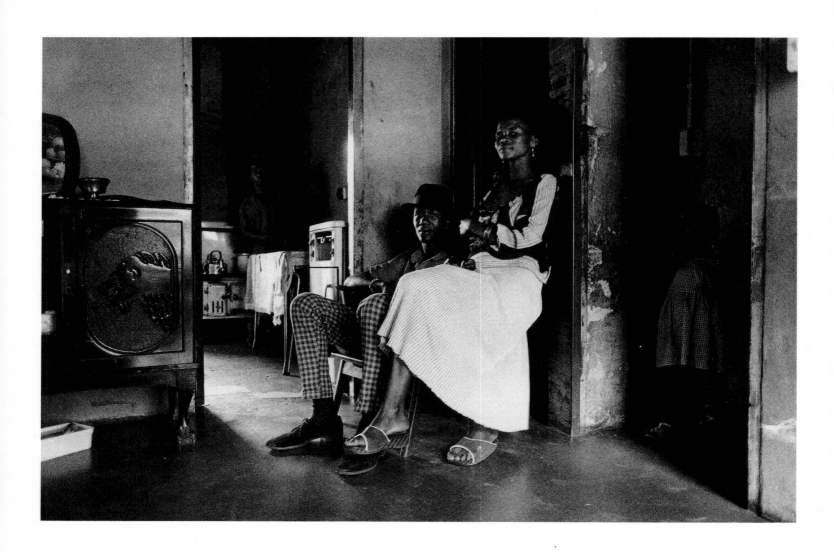

Familie Dambuza, Rockville / *The
Dambuza family, Rockville.*
Ingrid Hudson

Familie Dambuza, Rockville / *The Dambuza family, Rockville.*
Ingrid Hudson

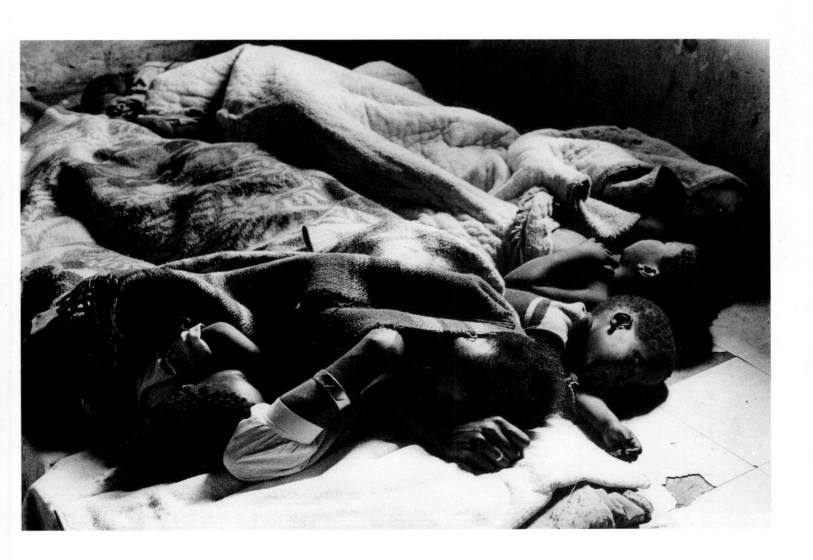

Familie Dambuza, Rockville / *The Dambuza family, Rockville.*
Ingrid Hudson

Johannesburg.

Gil de Vlieg

Joseph Kgatitsoe, leider van de
gemeenschap, tekent een petitie tegen
gedwongen verhuizingen uit Mogopa /
Community leader Joseph Kgatitsoe signing a
petition against forced removals from Mogopa.
Paul Weinberg

Bijeenkomst van Mogopa-inwoners over het verlies van hun nieuwe boerderijen. De Mogopa-gemeenschap werd in 1984 van haar land verdreven en is tijdelijk gehuisvest nabij Sun City, Bophutatswana. De gemeenschap vecht nog steeds om terug te kunnen keren / *Residents of Mogopa talking about the loss of their new farms. The Mogopa community were evicted from their land in 1984, and temporarily accomodated near Sun City, Bophutatswana. The community is still struggling to be allowed to return.*

Paul Weinberg

Piet Mostweu vertrekt uit Mogopa / *Piet*
Mostweu leaving Mogopa.
Paul Weinberg

Mogopa, 1983.

Paul Weinberg

Verhuizing van Bethanië (Mogopa) naar
Onderstapoort, de tijdelijke plaats van
huisvesting / *Removal from Bethanie
(Mogopa) to Onderstapoort, temporary site of
settlement.*
Paul Weinberg

Mogopa.
Paul Weinberg

De heer Petrus met zijn kudde geiten,
Kuboes Area / *Mr. Petrus and his flock of*
goats, Kuboes Area.
Paul Weinberg

Mevrouw Joseph, vrouw van een van de grootste geitenhouders in het Helsberger gebied / *Mrs. Joseph, the wife of one of the largest goat farmers in the Helsberger area.*
Paul Grendon

Mevrouw Leva Kok / *Mrs. Leva Kok.*
Paul Grendon

KTC township.
Rashid Lombard

KTC.
Fanie Jayson

KTC.
Rashid Lombard

KTC.
Rashid Lombard

Nyassa-mijnwerkers na het uitdienen van
hun twaalf-maandencontract in een
goudmijn. Station Mayfair, Johannesburg
1952 / *Nyassa miners after serving their twelve
month contract in a gold mine. Mayfair railway
station, Johannesburg 1952.*
David Goldblatt

Butch Britz, opzichter van de mijnschacht, Schacht 4, President Steyn Goudmijn, Welkom 1969 / *Butch Britz, Master Shaftsinker, no. 4 Shaft, President Steyn Gold Mine, Welkom 1969.*
David Goldblatt

'Boss Boy', voorman. In de rechterzak: tabak. In de linkerzak onder andere: clinometer voor metingen onder de grond en aantekenboekje om die te noteren. Om de linkerarm: registratieteken met drie sterren ter aanduiding van de Boss Boy van de mijnopzichter. Om de rechterpols: armband met teken van de betreffende maatschappij. Aan de riem: zakmes in schede. Zobo-horloge, een cadeau van de maatschappij uit erkentelijkheid voor het werken zonder ongelukken, en eerste-hulpset. Battery Reef, Randfontein Staatsgoudmijn 1966 / *'Boss Boy'. In right pocket: tobacco pouch. In left pocket: clinometer for underground measurements and notebook for recording them. On left arm: company rank badge with three stars to indicate Mine Overseer's Boss Boy. On right wrist: company identity band. On belt: clasp knife in sheath. Zobo watch presented by company in recognition of accident-free work, and first aid kit. Battery Reef, Randfontein State Gold Mine, 1966.*
David Goldblatt

Mofolo South, Soweto 1972.
David Goldblatt

Tladi, Soweto 1972.
David Goldblatt

Bushmen-gemeenschap, Namibië /
Bushmen community, Namibia.
Paul Weinberg

Mannenberg township, Kaapstad / *Cape Town.*
Chris Ledochowski

Inanda, Natal.

Omar Badsha

Natal.
Omar Badsha

Boerenzoon met zijn kindermeisje /
Farmer's son with his nursemaid.
David Goldblatt

Sociaal centrum voor huishoudelijk
personeel / *Domestic servants' concern centre.*
Ghiselle Wulfsohn

Elias Rikhoto, schoonmaker, Johannesburg /
Elias Rikhoto, flat cleaner, Johannesburg.
Paul Weinberg

Priscilla Biyana.
Paul Weinberg

De familie Biyana / *The Biyana family.*
Paul Weinberg

Ghiselle Wulfsohn

Rivonia, 1987.
Lesley Lawson

Oom Flip du Toit op de veranda van de
werkplaats in zijn boerderij / *Oom (uncle)*
Flip du Toit on the stoep of his farm workshop.
David Goldblatt

Paul Kruger-feesten / *Paul Kruger
celebrations.*
Paul Weinberg

Werkloze man met zijn dochters,
Johannesburg / *Unemployed worker and his*
daughters, Johannesburg.
Paul Weinberg

Miss Lovely Legs Competition, Pick 'n
Hypermarket, Boksberg 1980.
David Goldblatt

Lesley Lawson

Gideon Mendel

Bijeenkomst van de neonazistische
Afrikaner Weerstands Beweging, Pretoria
1987 / *Meeting of the neo-Nazi Afrikaner
Weerstands Beweging (African Resistance
Movement), Pretoria 1987.*
Trevor Samson

Gearresteerd bij een protestbijeenkomst in
Athlone, Kaapstad 1986 / *Arrested at a
protest meeting in Athlone, Cape Town 1986.*
Gideon Mendel

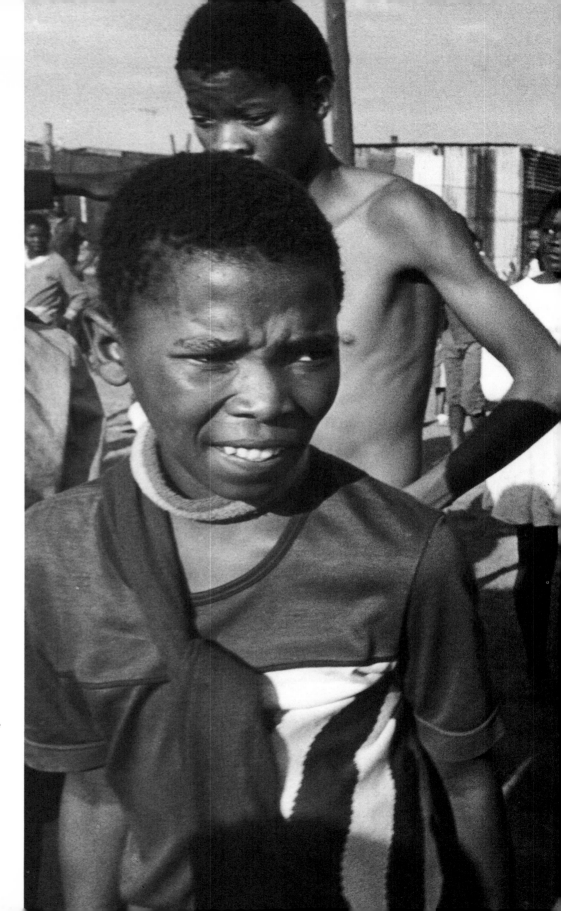

Lid van de Leandra-jeugdorganisatie die
zijn huis moet verlaten onder bedreiging
van een overval door 'vigilantes' / *Member
of the Leandra youth organisation forced to
leave his house under the threat of assault by
'vigilantes'.*
Gideon Mendel

Middelbare scholieren tegen invallen van
het Zuidafrikaanse leger in Zimbabwe en
Zambia / *Students against South African
Defence Forces* (SADF) *raids into Zimbabwe
and Zambia.*
Omar Badsha

16 juni - bijeenkomst ter herdenking van de
Soweto-opstand in 1976, Durban / *June
16th: commemoration of the 1976 Soweto
uprisings, Durban.*
Omar Badsha

Na de begrafenis van een jonge inwoner
van de township van Duduza wordt de
auto van een politie-verklikker in brand
gestoken / *After the funeral of a young
Duduza township citizen the car of a police
informer is set on fire.*
Paul Weinberg

Tegen ontruiming van Crossroads, oktober
1985 / *Against the eviction of Crossroads,
October 1985.*
Dave Hartman

Paul Weinberg

Traangas / *Teargas.*
Julian Cobbing

Kliptown, Soweto 1987.
Herbert Mabuza

Prikkeldraadbarrière tussen Port Elisabeth Township en New Brighton / *Barbed wire barrier between Port Elizabeth and New Brighton.*
Chris Qwazi

Township, East Rand.
Gideon Mendel

Universiteit van Kaapstad / *University of Cape Town.*
Adil Bradlow

Getroffen door hagel van de politie / *Hit by*
police Birdshot.
Gideon Mendel

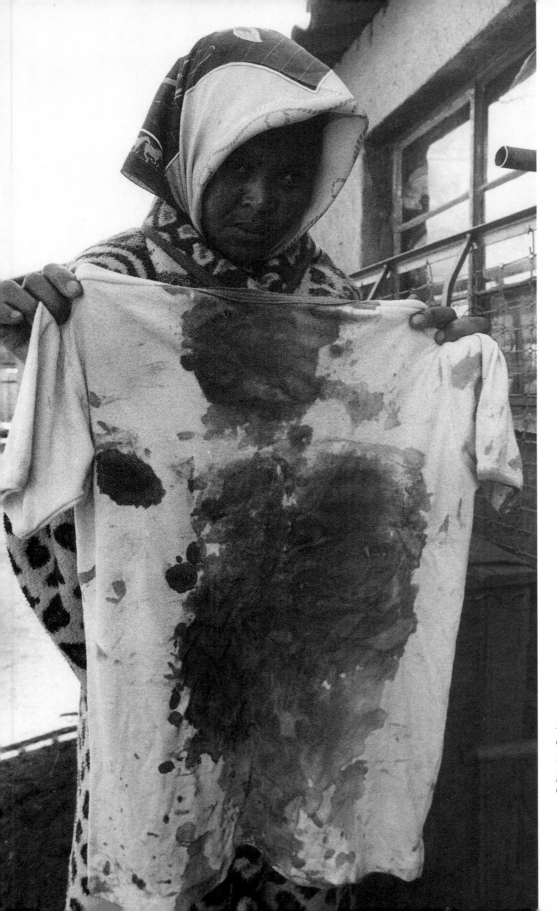

Moeder met t-shirt van haar zoon die door
de politie werd doodgeschoten, 1985 /
*Mother with the t-shirt of her son shot dead by
police, 1985.*
Gill de Vlieg

Billy Paddock

Michael, met drie andere kinderen gedood
bij de opstanden van 1985 in de Kaap door
politiemannen die zich achterop een
vrachtwagen verborgen hielden – bekend
geworden als het Trojaanse-Paard-incident
/ *Michael, killed along with three other*
children by police hiding in the back of a truck
at the height of the 1985 uprisings in the Cape
– known as the Trojan Horse incident.
Paul Grendon

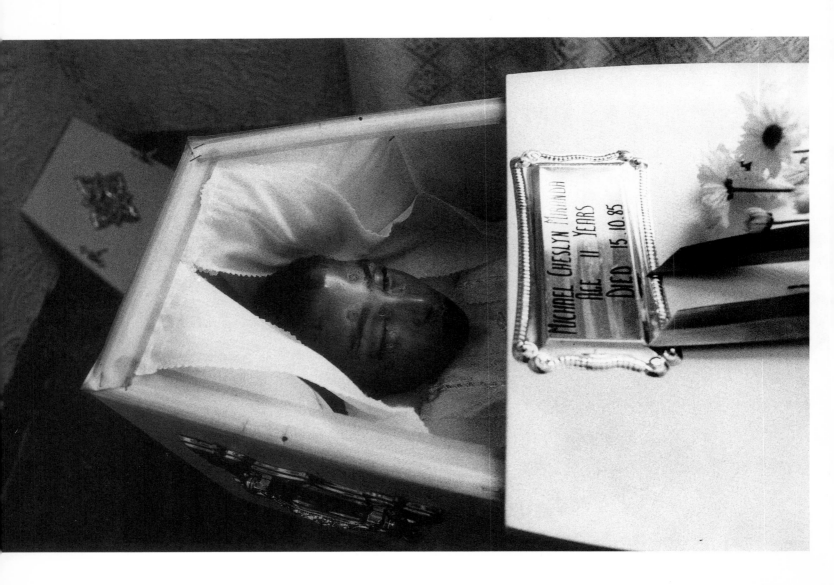

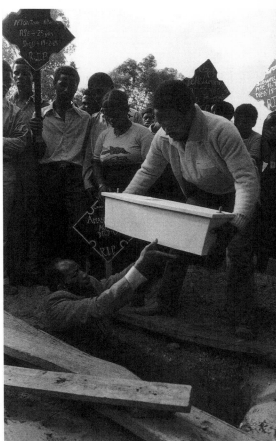

Door de politie doodgeschoten kinderen worden begraven. De door het apartheidsregime verboden ANC-vlag wordt meegedragen / *Funeral of children shot by police. ANC banner, banned by the apartheid regime is carried along.*
Gideon Mendel

Omar Badsha

Khotso House, hoofdkwartier van de tegen apartheid gekante Zuidafrikaanse Raad van Kerken, in 1988 door een bomaanslag vernield / *Khotso House, headquarters of the South African Council of Churches, destroyed in a 1988 bomb attack.*
Paul Weinberg

Arrestatie van Moses Nayekiso, voorzitter
van het Actie Comité van Alexandra,
township bij Johannesburg, om zijn
bemoeienissen met het in het leven roepen
van democratische structuren. Zijn
activiteiten worden door de regering
gezien als een beantwoording aan de
oproep van het ANC 'om Zuid-Afrika
onregeerbaar te maken' / *Arrest of Moses
Nayekiso, chairman of the Action Committee
of Alexandra a township near Johannesburg,
because of his involvement in the founding of
democratic structures. His activities were
regarded by the government as a respons to the
ANC call 'to make South Africa ungovernable'.*
Gideon Mendel

Arrestatie tijdens een demonstratie na de
moord op de progressieve advocate
Victoria Mxenge, Durban, augustus 1985 /
*Arrest during a demonstration after the murder
of progressive lawyer Victoria Mxenge,
Durban, August 1985.*
Omar Badsha

John Liebenberg

Arrestatie van leden van de
vrouwenbeweging van het UDF, het
Verenigd Democratisch Front, de grootste
bundeling van Zuidafrikaanse organisaties
tegen apartheid, Kaapstad / *Police arresting
members of the Women's Movement of the
United Democratic Front* (UDF), *the largest
amalgamation of South African anti apartheid
organisations.*
Gideon Mendel

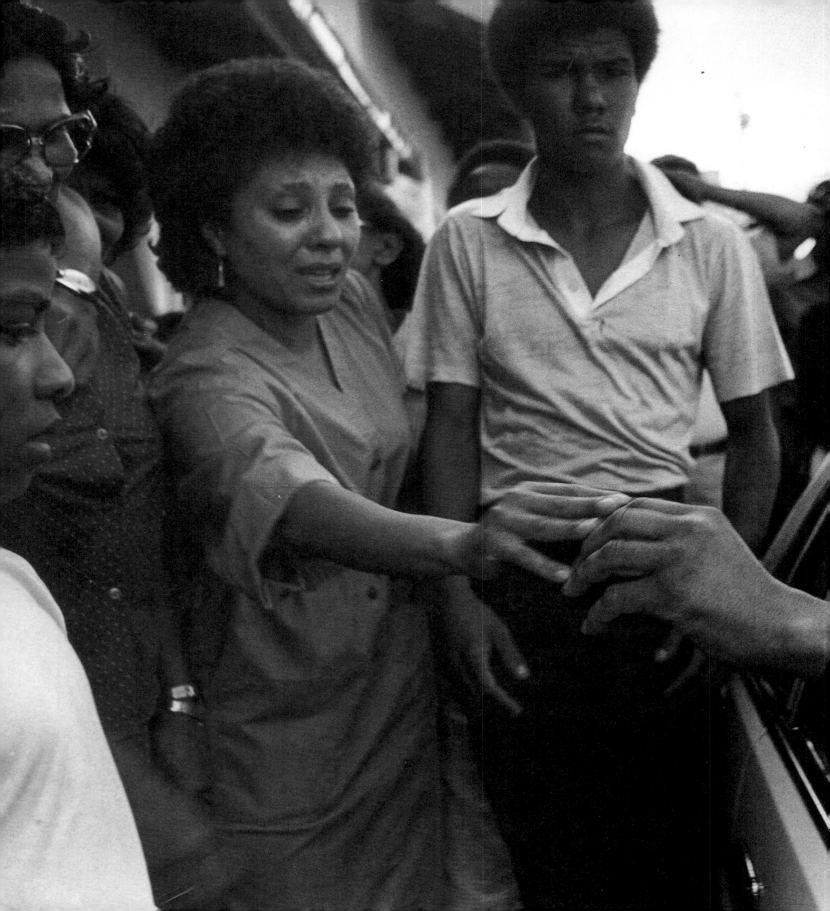

UDF-bestuurslid, professor Ismael Mohammed, gearresteerd door de veiligheidspolitie, en zijn dochter Eliane, 19 februari 1985 / UDF *executive member Professor Ismail Mohammed arrested by security police, and his daughter Eliane, 19 February 1985.*
Gideon Mendel

Soweto.
Bongani Mnguni

28 augustus 1985, de dag waarop UDF-beschermheer Alan Boesak de mensen opriep vanuit Athlone naar de Pollsmoor-gevangenis te trekken om de vrijlating te eisen van Nelson Mandela en alle politieke gevangenen / *28 August 1985, the day* UDF *patron Alan Boesak called upon the people to march to Pollsmoor Prison and demand the release of Nelson Mandela and other political prisoners.*
Gideon Mendel

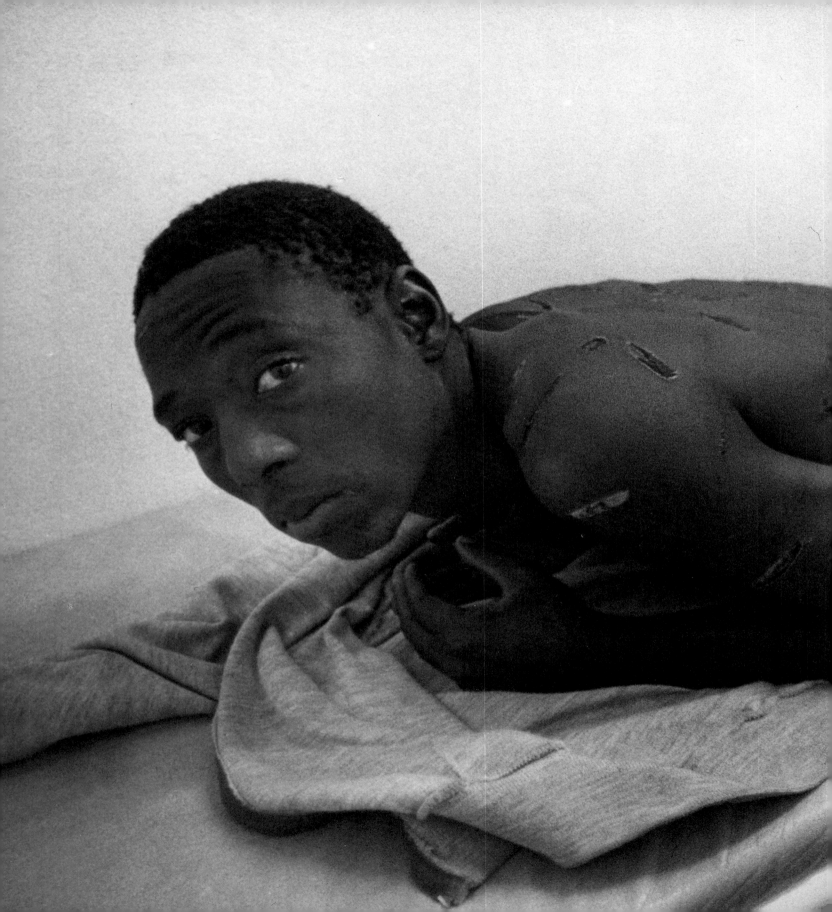

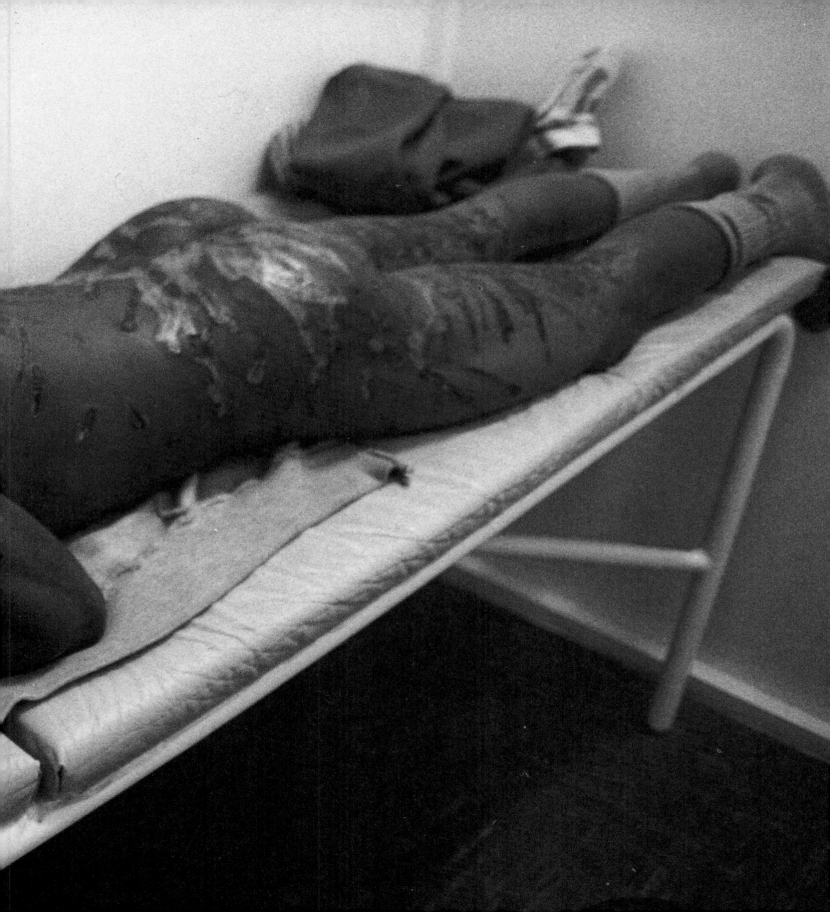

Foto vorige bladzijde / *Previous page:*
Gegeseld door vigilantes / *Whipped by*
vigilantes.
Gill de Vlieg

Speciale eenheid in Dudusa, gestuurd om
de township 'schoon te maken' / *Special*
unit in Dudusa, sent to 'clean' the township.
Themba Nkosi

Man uit Pondo-land ligt dood aan de voeten van leden van de Inkatha-beweging, Durban, januari 1986 / *Man from Pondo land lies dead at the feet of members of Inkatha, Durban, January 1986.*
Billy Paddock

Zes leden van Umkhonto we Sizwe (Speer van de Natie), de ondergrondse gewapende vleugel van het ANC, doodgeschoten door de politie van Gugeletu, Kaapstad, 15 maart 1986 / *Six members of Umkhonto we Sizwe (Spear of the Nation), the ANC underground armed wing, shot dead by Guguletu police, Cape Town, March 15, 1986.*

Dave Hartman

Foto vorige bladzijde / *Previous page:*
Bij de begrafenis van slachtoffers van de
Langa-slachtpartij in Uitenhage, maart
1985 / *At the funeral of the victims of the
Langa massacre in Uitenhage, March 1985.*
Gideon Mendel

De familie van Saul Mkhize, de door de
politie gedode leider van de gemeenschap
van Driefontein / *Relatives of Saul Mkhize,
leader of the Driefontein community, shot dead
by the police.*
Paul Weinberg

Steve Hilton Barber

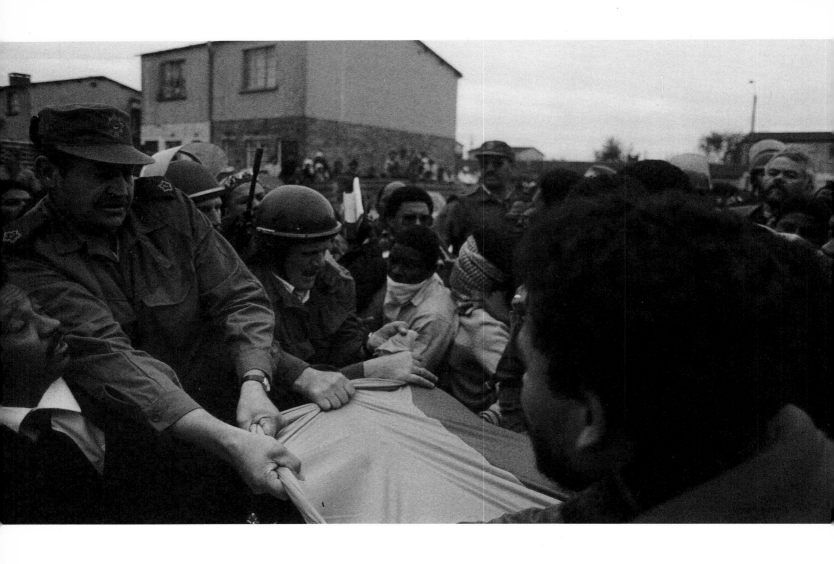

Gevecht tussen politie en onder anderen
UDF-bestuurder Imam Faried Esack om de
vlag op de kist van Ashley Kriel, militant
ANC-lid / *Skirmish between police and, among
others, the Imam Faried Esack, over the ANC
flag on the coffin of Ashley Kriel, a militant
ANC member.*
Roger Meintjes

Gideon Mendel

Dudusa township, 1985.
Paul Weinberg

Winnie Mandela bij een begrafenis /
Winnie Mandela at a funeral.
Gideon Mendel

Begrafenis van UDF-leden / *Funeral of* UDF *members.*
Dave Hartman

Bij de begrafenis van zeven leden van het
ANC, gedood in Kaapstad / *At the funeral of
seven* ANC *members, killed in Cape Town.*
Guy Tillim

Bisschop Desmond Tutu op een begrafenis
in de Kwathema township, Johannesburg /
*Bishop Desmond Tutu at a funeral at
Kwathema township, Cape Town.*
Gill de Vlieg

Dienst tijdens de begrafenis van ANC-leden
/ *Religious service at the funeral of* ANC
members.
Dave Hartman

Arbeiderstheater / *Worker Play.*
Vuyi Mbalo

De populaire dichter Jingles treedt op in
Alexandra township op 16 juni bij een
herdenking van de Soweto-opstand. Even
later werd hij door onbekenden
doodgeschoten / *Jingles, a popular poet,
performing in Alexandra at a June memorial
service of the Soweto uprisings. A little later he
was shot dead by strangers.*
Omar Badsha

Culturele Dag van het Congress of South African Trade Unions (COSATU), de grootste vakbondsfederatie, tevens lid van het UDF / *Cultural Day of the Congress of South African Trade Unions* (COSATU), *the largest trade union federation, affiliated to the* UDF.

Omar Badsha

Theatervoorstelling van het UDF / UDF
theatre performance.
Rashid Lombard

Theatervoorstelling van COSATU /
COSATU *theatre performance.*
Rashid Lombard

Protestbijeenkomst van de National Union of Mineworkers (NUM), tijdens de grote mijnstaking van augustus 1987 / *Protest meeting of the National Union of Mineworkers (NUM), during the great miners' strike of August 1987.*
Eric Miller

Vakbondslid onderhandelt met
bedrijfsleiding / *Union member negotiating
with management.*
Jeeva Rajgopaul

Stakers tegenover de directie / *Strikers opposite the management.*
Jeeva Rajgopaul

Stakers / *Strikers.*
Jeeva Rajgopaul

Stakers / *Strikers.*
Jeeva Rajgopaul

Vakbondsleiders van de NUM spreken
stakers toe in Secunda, augustus 1987 /
NUM *officials address a strike meeting in*
Secunda, August 1987.
Eric Miller

Stakers / *Strikers.*
Jeeva Rajgopaul

Stakende arbeiders van een broodfabriek,
Durban / *Bread workers on strike, Durban.*
Omar Badsha

Begrafenis van Bongani Khumulo, leider
van het Congress of South African
Students (COSAS), vermoord in september
1984 / *Funeral of Bongani Khumulo, leader of
the Congress of South African Students*
(COSAS), *killed in September 1984.*
Paul Weinberg

Leden van de Chemical Workers
Industrial Union (CWIU) van een
platinumraffinaderij bij Johannesburg
protesteren uit solidariteit met de
mijnstaking, augustus 1987 / *Members of the*
Chemical Workers' Industrial Union (CWIU)
at a platinum refinery near Johannesburg in
solidarity with the miners' strike, August 1987.
Eric Miller

COSATU-congres, Johannesburg 1987 /
COSATU *Congress, Johannesburg 1987.*
Anna Zieminski

Voor onze eigen ogen

Nawoord

Zuid-Afrika verkeert in oorlog. Een oorlog die door een racistische minderheid gevoerd wordt tegen een onderdrukte meerderheid zonder stemrecht.

Met name de Zuidafrikaanse fotograaf is een onmiddellijk doelwit in de meedogenloze acties die tegen de media worden gevoerd. De noodtoestand verschaft het regime uitgebreide bevoegdheden om beperkingen op te leggen aan wat de bevolking en de internationale gemeenschap te zien krijgt.

De 'camera' is een getuige van de apartheid, een getuige van het verzet – hij registreert de pijnlijke en bloedige geschiedenis die wij als fotografen waarnemen. Terwijl wij proberen in deze moeilijke tijden onze geschiedenis vast te leggen, doet het regime zijn best de waarheid te verdraaien, te manipuleren en uiteindelijk te smoren.

De onderdrukking van Zuidafrikaanse fotografen is in de afgelopen jaren toegenomen. Er is op fotografen geschoten, ze zijn door traangas bedwelmd, ze zijn gearresteerd, gemolesteerd, filmrolletjes en uitrusting werden in beslag genomen. Niet alleen fotografen, maar ook de media waarvoor zij werken zijn doelwit, met name de media met een anti-apartheidsgeschiedenis.

Onze eigen geschiedenis van sociale documentaire-fotografie kent pioniers als Paul Schadeberg, Bob Gosani en ander **Drum**-fotografen uit de jaren vijftig, zoals Eli Weinberg, Ernest Cole, Peter Magubane en David Goldblatt. Weinberg en Cole werden om politieke redenen in ballingschap gedreven. Over deze twee fotografen is weinig bekend omdat hun werk verboden is. In de jaren zeventig gaf het culturele blad **Staffrider** aan geëngageerde fotografen een uitingsmogelijkheid. Deze Zuidafrikaanse fotografen brachten de verschrikkingen van de apartheid aan het licht en legden momentopnamen vast van een bevolking in verzet.

Het in 1982 in Gaberone (Botswana) gehouden festival 'Cultuur en verzet' bracht een nieuwe visie in de Zuidafrikaanse fotografie. Tot die tijd hadden fotografen de armoede en de verschrikkingen van de apartheid benadrukt. De nieuwe visie daagde Zuidafrikaanse fotografen uit verder te kijken dan de omstandigheden van onderdrukking en meer op zoek te gaan naar beelden van verzet. Beelden die nu een portret bieden van de kracht van een volk in verzet.
De tentoonstelling was een uitdaging aan de fotograaf zich te distantiëren van de positie van de individu zoals die door de kapitalistische foto-industrie in stand wordt gehouden. Er ontstond een collectief proces, waarvan wij thans de vruchten zien in deze casa-collectie, oorspronkelijk onderdeel van de Conferentie en het Festival 'Culture in Another South Africa'.

In 1984 ontstonden uit een onderzoek naar armoede en ontwikkeling onder de zwarte bevolking andere collectieve rondreizende tentoonstellingen. Tussen het congres in Botswana en casa (december 1987) is de fotografische traditie die is ontstaan voorbijgegaan aan de fotografie die men in galeries aantreft. Collectieve tentoonstellingen voldoen thans aan de behoeften van de gemeenschap en aan de brede democratische beweging. Deze tentoonstellingen vinden hun weg naar de wanden van wijkcentra, kerken en bibliotheken. Zij zijn een aanvulling op culturele manifestaties, herdenkingsdiensten, vakbondsvergaderingen, politieke bijeenkomsten en staan in dienst van de gemeenschap. Voorbeelden hiervan zijn de viering van de vrouwendag (8 augustus) en culturele programma's van het Congres van Zuidafrikaanse vakbonden, cosatu (Congress of South African Trade Unions).

Tegen deze achtergrond is het van het grootste belang te kijken naar de rol van de Zuidafrikaanse fotografie in het huidige klimaat. In de Hollywoodfilm **Under Fire** trekt de held van de dag, Nick Nolte, naar Nicaragua om de oorlog te verslaan. Nadat hij is gearresteerd, vraagt zijn celgenoot aan welke kant hij eigenlijk staat. Zijn korte antwoord luidt: 'Ik kies geen kant, ik neem foto's.' De geëngageerde Zuidafrikaanse fotograaf neemt stelling tegen deze alledaagse mythe van neutraliteit.

Het nemen van foto's van de Zuidafrikaanse strijd houdt ook een stellingname in van de fotograaf. De verschrikkingen van de Zuidafrikaanse samenleving brengt hem of haar ertoe een standpunt in te nemen tegen ongelijkheid, onmenselijkheid en onrecht. Partij kiezen vereist actieve deelneming van de fotograaf aan de strijd. Hij is niet slechts waarnemer, maar maakt onderdeel uit van wat er gebeurt. In de eerste plaats moet hij zich identificeren met de groepen in de strijd. De fotograaf wordt uitgedaagd deel te nemen in organisaties die verantwoording schuldig zijn aan de niet-raciale democratische beweging in Zuid-Afrika.

Een sterk element in onze fotografische traditie is de workshop. Fotografie is vele jaren het privilege geweest van een elite. Mensen die makkelijk toegang hadden tot de middelen en over de vaardigheden beschikten, monopoliseerden en manipuleerden de rol van de fotografie in de media. De weinige instellingen waar men fotografiecursussen kan volgen waren tot voor kort uitsluitend toegankelijk voor blanken. Zij kunnen ook niet voldoen aan de behoeften van een Zuid-Afrika in verandering. Het eufemisme onder de bevolking van 'onderwijs voor allen' doet zich voor in gemeenschapsorganisaties, vakbonden en de alternatieve pers. Deze overdracht van vaardigheden is van groot belang:

1 zij demystificeert de waas van geheimzinnigheid rond de fotografie,
2 maakt de fotografie tot iets gewoons,
3 en geeft mensen de mogelijkheid hun eigen ervaringen, hun eigen leven en hun eigen geschiedenis vast te leggen.
Dit proces heeft een nieuwe lichting fotografen voortgebracht. 'De verborgen camera' gaat van Leica's tot Instamatics. Dit zijn de wapens in de media-oorlog.

Misschien heeft u een recente foto gezien van Namibiërs die door Koevoet, de anti-guerrillaeenheid van de Zuidafrikaanse politie, werden vermoord, neergelegd rondom een Casspir. Dit macabere machtsvertoon van het Zuidafrikaanse leger werd opgevoerd voor de plaatselijke bevolking. Een Namibiër, gewapend met een simpele Instamatic camera, legde dit afschuwelijke incident vast. Zijn rolletje film werd prompt naar een Namibische krant gebracht waar vandaan de foto's over de hele wereld werden gestuurd. Met zulke voorbeelden zien wij dat het professionele en het 'amateuristische' elkaar de hand reiken en partij wordt gekozen in het vastleggen en documenteren van onze geschiedenis.
De scheiding tussen professioneel en amateuristisch, deskundig en niet-deskundig, wordt in een veranderende samenleving op de proef gesteld. Deze CASA-collectie is daar een bewijs van. In de tentoonstelling, de grootste collectieve tentoonstelling die ooit in Zuid-Afrika tot stand kwam, namen achtenveertig fotografen deel, uit alle geledingen van de Zuidafrikaanse fotografengemeenschap. Verbonden door hetzelfde doel komen beroepsfotografen, fotografen uit de gemeenschap zelf en amateurs bij elkaar om hun engagement te tonen voor een fundamenteel ander beeld van Zuid-Afrika – een vrije, niet-raciale, democratische samenleving die vrede kent.
Wij zien in Zuid-Afrika het begin van een overeenkomstige beweging als die in

Duitsland in de jaren dertig. De fotografenbeweging van de arbeiders had een kort maar vitaal leven voor de nazi-regering haar het zwijgen oplegde. Deze beweging, hoewel zij nog slechts in de kinderschoenen staat, voorziet in een cruciale en noodzakelijke functie voor de Zuidafrikaanse fotografie.

Terwijl Zuidafrikaanse fotografen proberen de geschiedenis vast te leggen, doet de Zuidafrikaanse regering haar best om haar te vernietigen. De door CASA georganiseerde tentoonstelling is op zich de grootste collectieve verzetsdaad door Zuidafrikaanse fotografen ondernomen.

De uitdaging waar de Zuidafrikaanse fotograaf zich voor geplaatst weet in een veranderende samenleving vereist vernieuwende en creatieve antwoorden.

Op één niveau moeten wij ons op effectieve wijze onderhouden met de internationale gemeenschap. Niet alleen om de strijd in Zuid-Afrika weer naar de voorpagina te brengen, maar ook om het Zuidafrikaanse publiek en de wereld inzicht te geven in de mensen achter het nieuws.

In het land moeten wij onze eigen esthetiek ontwikkelen en bevorderen. Dit kan versterkt worden door een kwalitatief proces dat zijn uitdrukking vindt in kalenders, affiches, ansichtkaarten en in de alternatieve pers.

Daar wij in de afgelopen jaren vooraan hebben gestaan in de oorlog die apartheid heet, zijn wij ook zeer nauw betrokken geraakt bij het verzet tegen de apartheid. De camera legt de nachtmerrie vast, maar is tegelijk een stille getuige van de droom die werkelijkheid zal worden in een 'ander' Zuid-Afrika.

De Zuidafrikaanse fotografen van de CASA-collectie.

In our own image

Afterword

South Africa is at war. A war waged against a voteless oppressed majority by a racist minority.

Specifically the South African photographer is an immediate target in the relentless attack conducted against the media.
The state of emergency has equipped the regime with even wider powers to restrict an image they do not want the people or the international community to see.

The 'camera' is a witness to apartheid, a witness to resistance and a recorder of the painful and bloody history that we as photographers have seen. As we attempt to record our history in these troubled times, the South African regime does its best to distort, manipulate and ultimately destroy the truth.

The repression against South African photographers has intensified in the last few years. Photographers have been shot at, teargassed, detained, assaulted, had film and equipment confiscated.

Not only photographers, but the media organisations where photographers work have been under attack, in particular those with an anti-apartheid track record.

Our own tradition of social documentary photography heralds pioneers like Jurgen Schadeberg, Bob Cosani and other **Drum** photographers of the fifties, Eli Weinberg, Ernest Cole, Peter Magubane and David Goldblatt. Both Weinberg and Cole were driven into exile for political reasons. Little is known about these two photographers in the country as their works have been banned. In the 1970s **Staffrider,** a cultural magazine, gave committed South African photographers a voice. These South African photographers exposed the horrors of apartheid and encapsulated the portrait of a people in struggle.

A 1982 festival in Gaberone, Botswana, named 'Culture and Resistance', was a catalyst for a new vision in South African photography. Up to this period photographers had emphasized poverty and the horror of apartheid South Africa. The new vision challenged South African photographers to look beyond the conditions of oppression and towards images of resistance. Images that now portrait the strengths of a people in the struggle.

The exhibition challenged the photographer to move away from an individualistic position perpetuated by the capitalist photographic industry. A collective process took root, the fruits of which we see today in the CASA collection, originally part of the 'Culture in Another South Africa' Conference and Festival.
In 1984 an investigation into poverty and development brought together other collective exhibitions which were shown around. In between the Botswana Congress and CASA, December 1987, the photographic tradition that has emerged has gone beyond the 'gallery'. Collective exhibitions have addressed community and organisational needs of the mass democratic movement. These exhibitions find themselves on the walls of community halls, churches and libraries. They compliment cultural events, commemorative services, trade union, political meeting and community functions. Examples of this are Women's Day celebrations (8 August) and cultural programmes of COSATU, the Congress of South African Trade Unions.

Against this backdrop it is pertinent to look at the role of South African photography in the present climate. In the Hollywood movie **Under Fire** the hero of the day Nick Nolte went to cover the Nicaraguan war. After being arrested by the authorities his cell-mate asked the simple question as to where he stood in the struggle. His curt reply was 'I do not take sides, I take pictures.' The committed South African photographer confronts this popular myth of neutrality.

Taking photographs in the South African struggle is about taking sides as well. The aberrations of present South African society commits him or her to take a stand against inequality, inhumanity and injustice.

The notion of taking sides demands active participation of the photographer in the struggle. The photographer is not merely an observer but part of the process. In the first instance this is about identifying with communities in the struggle. The photographer is challenged to participate in organisations that are answerable and accountable to the non-racial, democratic movement in South Africa.

The strongly emerging movement in our photographic tradition is the workshop. Photography has for many years been the prerogative of the elite. Those with access to skills and resources monopolised and manipulated the control of photography in the media process. The few institutions that do offer photographic courses have until recently been open exclusively to whites. They are also inadequate to meet the demands of a changing South Africa. The popular euphemism 'each one, teach one' manifests itself in workshops for community based organisations, trade unions and the alternate press. This transference of skills plays a number of important roles:
1 Demystifies the technological aura surrounding photography.
2 It decentralises the control of photography.
3 Further it empowers people to record and document their own experiences, lives and histories.
This process has generated a new breed of photographer. 'The hidden camera' ranges

from Leicas to Instamatics. These are tools of the media war. Some of you might have seen a recent photograph of Namibians who had been killed by Koevoet, the counter insurgency unit of the South African police, draped around the tyres of a Casspir. This macabre show of force by the South African military was publicly exhibited to the local population. A Namibian armed with a simple Instamatic camera recorded this horrific incident. This roll of film was delivered promptly to the Namibian newspaper from where it was dispatched around the world. It is such instances where the professional and the 'amateur' join hands in taking sides to record and document our history.

The divide between professional and amateur, expert and non-expert are being challenged in a changing society. This CASA collection is a testament to that process. The exhibition, the biggest collective exhibition yet to emerge from our country had forty-eight participating photographers. They traverse a wide spectrum of the South African community of photographers. United in their resolve professionals, community based photographers and so-called amateurs have come together to pledge their commitment to a fundamentally different image of South Africa – a free non-racial, democratic, society in peace.

We have emerging in South-Africa the beginnings of a parallel movement that took place in the thirties in Germany. The worker's photographic movement had a short but vital life before the Nazi government put it to rest. The worker photographic movement albeit in its infancy is providing a crucial and necessary role for South African photography.

While South African photographers are attempting to record their history, the South African government is doing its best to blot it out. This exhibition organised by CASA in

itself is the biggest collective act of resistance by South African photographers.

The challenges of the South African photographer in a transitory society demand innovative and creative responses.

On one level we need to effectively communicate to the international community. Not only to put the South African struggle back on the front page, but to provide the South African public and the world at large an inside view and depth into the people behind the news.

Within the country we need to develop and advance our own aesthetic – this will be enhanced by a qualitative process which finds expression in calendars, posters, postcards and the alternate press.

While in recent years we have been on the frontline of the apartheid war, we have at the same time been intimately close in resistance to apartheid. While the camera has been the recorder of the nightmare, it is also the silent witness to the dream that will be translated into the reality of an 'other' South Africa.

The South African photographers of the CASA-collection.

Bijeenkomst van de South African
Domestic Workers Union (Zuid-
afrikaanse Bond van Huishoudelijk
Personeel) / *Meeting of the South African
Domestic Workers' Union.*
Fotograaf onbekend / Photographer unknown

COLOFON

De CASA-collectie is bijeengebracht door de fotografen, en Zuid-Afrika uitgesmokkeld ten behoeve van de Conferentie en het Festival 'Culture in Another South Africa'. Deze conferentie werd in december 1987 georganiseerd door Stichting CASA en de Anti-Apartheids Beweging Nederland.

Deze uitgave is mede mogelijk gemaakt door financiële bijdragen van de gemeente Amsterdam, het Directoraat-generaal Ontwikkelingssamenwerking van de Europese Gemeenschappen en de Algemene Spaarbank voor Nederland.

Samenstelling en boekverzorging: Victor Levie
Redactie bijschriften: Joost Divendal en Leo Divendal
Produktie CASA: Willem Campschreur en Joost Divendal
Lithografie en druk: steendrukkerij de Jong & Co Hilversum
© 1989 *Nederlandse vertaling inleiding en nawoord:* Robert Dorsman

© 1989 Stichting CASA

The CASA collection has been put together by the photographers and was smuggled out of South Africa for the purpose of the 'Culture in Another South Africa' Conference and Festival, organized in December 1987 by the CASA Foundation and the Anti Apartheid Movement Netherlands.

This publication has been realized through financial contributions from the Municipality of Amsterdam, the Directorate General for Development Cooperation of the European Communities and the Dutch General Savings Bank (Algemene Spaarbank voor Nederland).

Edited & designed by: Victor Levie
Captions editing: Joost Divendal and Leo Divendal
Production CASA: Willem Campschreur and Joost Divendal
Lithography and print: steendrukkerij de Jong & Co Hilversum, The Netherlands
© 1989 *Dutch translation introduction and afterword:* Robert Dorsman

© 1989 CASA Foundation

ISBN 90 351 0741 1